Ná glac páirt i gcluichí Oilimpeacha na Sean-Ghréige!

Nach breá an stócach mé!

Seachain

Scríofa ag
Michael Ford

Maisithe ag David Antram
David Antram

Cruthaithe agus deartha ag
David Salariya

Leagan Gaeilge le
hÉilis Uí Mhuirneáin

Futa Fata

Clár

Réamhrá

Is buachaill óg thú atá i do chónaí i sráidbhaile, gar do chathair na hAithne sa Ghréig, i lár na 5ú haoise RCh. Tá ag éirí go hiontach leis an nGréig agus tú ag fás aníos. Fiche bliain roimhe sin, bhí an bua ag na Gréagaigh sa chogadh a bhí acu in aghaidh mhuintir na Peirse. Tír shaibhir anois í agus tá na healaíona faoi bhláth: an drámaíocht, an fhilíocht, an ceol agus an ailtireacht. Ba é Pericles, an sárthaoiseach, a bhunaigh an **daonlathas*** san Aithin. Anois, tá saoirse cainte ann agus tá na **saoránaigh** i mbun saol na cathrach.

Duine stuama is ea d'athair, a throid i gcogadh na Peirse. Tá sé ag súil le go leor uaitse. Shábháil sé a chuid airgid ar fad le go mbeidh tusa ag foghlaim ar scoil, an lúthchleasaíocht go háirithe. Is mian leis go mbainfidh tú clú agus cáil amach trí pháirt a ghlacadh sa chomórtas is mó ar domhan – na Cluichí Oilimpeacha. I 776 RCh. a cuireadh ar siúl iad den chéad uair. Beidh traenáil chrua agus iomaíocht ghéar i gceist. Ós breá leatsa an saol gan stró, ní hí an chloch is mó ar do phaidrín a bheith páirteach sna Cluichí Oilimpeacha!

*Tá míniú ar fáil i gcúl an leabhair ar fhocail a bhfuil **cló trom** orthu.

Fir i gceannas

Sa 5ú haois tá an Ghréig roinnte ina **cathairstáit**. Tá an Aithin ar an g**cathairstát** is mó, lán le gnó, le cultúr agus le foghlaim. Ar bharr cnocáin tá **an tAcrapolas**, áit a seasann tithe oifigiúla na cathrach, an **Partanón** ina measc. Sa Ghréig, ní chaitear le gach duine mar an gcéanna. Tá dhá ghrúpa daoine ann: na **saoránaigh** a bhfuil cead vótála acu, agus na daoine nach bhfuil – is sclábhaithe nó eachtrannaigh iad siúd de ghnáth. Tá an chuid is mó den phobal bocht, agus ní bhíonn oideachas ar fáil ach do na daoine saibhre. Éiríonn tú go moch agus siúlann tú chuig an scoil sa chathair gach lá.

D'ATHAIR. Oibríonn d'athair go crua ar an bhfeirm, cosúil le daoine eile sna sráidbhailte. Ach tá plean níos fearr aige duitse, a mhac!

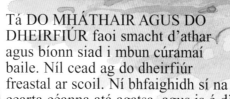

Tá DO MHÁTHAIR AGUS DO DHEIRFIÚR faoi smacht d'athar agus bíonn siad i mbun cúramaí baile. Níl cead ag do dheirfiúr freastal ar scoil. Ní bhfaighidh sí na cearta céanna atá agatsa, agus is é d'athair a roghnóidh an fear a phósfaidh sí.

Pericles

Nod beag

Fan i do pháiste! Tar éis aois a sé, stopann do mháthair ag tabhairt aire duit. Ní bheidh bréagáin agat níos mó, agus beidh tú faoi chúram d'athar.

I 461 RCh., tháinig PERICLES i gceannas. Fear iontach a bhí ann. Chuir sé tús leis an **daonlathas**, rud a chiallaíonn 'rialú ag an bpobal'. Anois tá cead ag fir na hAithne teacht le chéile agus vótáil ar son nó i gcoinne rudaí.

7

Traenáil – is fiú an dua!

Bíonn na múinteoirí géar go maith, ach taitníonn an scoil leat agus oibríonn tú go dian.

Is í stair na Gréige an príomhábhar agus bíonn go leor scéalta agus filíochta le foghlaim de ghlanmheabhair. Do dhéagóirí, bíonn an corpoideachas chomh tábhachtach agus a bhíonn na ranganna eile. Creideann na Gréagaigh gur chóir ár ndícheall a dhéanamh i ngach rud sa saol – leis an gcorp chomh maith leis an intinn. Cleachtann tú spóirt éagsúla: an iomrascáil, an rith, an tsleá, an **teasc** agus an léim fhada. Bíonn an traenáil ar siúl i bhfaiche spóirt in aice na scoile ar a dtugtar *palaestra*.

Ábhair scoile

Stíleas

Abacus

Taibléad céarach

Lir

AN SCRÍOBH. Is ábhar ríthábhachtach é seo, ach níl aon pháipéar ann. Úsáidtear **stíleas** chun na litreacha a scríobh ar **tháibléad céarach**. Mar sin, is féidir botún a réiteach leis na méara a smúdáil air.

AN MHATAMAITIC. Úsáideann tú abacas leis na huimhreacha a chomhaireamh. Níl an mhatamaitic chomh tábhachtach agus atá an litríocht, ach beidh sí úsáideach má bhíonn post mar oifigeach agat lá éigin amach anseo.

AN CEOL. Dar leis na Gréagaigh, cuireann an ceol feabhas ar an duine. Seinneann tú téaduirlis ar a dtugtar an lir. Seinntear í nuair a bhíonn daoine ag aithris filíochta.

8

AN COGADH CRUA Is maith an rud é an corpoideachas freisin chun tú a ullmhú dá dtarlódh cogadh amach anseo. Idir 490 agus 480 RCh., throid d'athair i gcogadh na Peirse. Caithfidh tusa a bheith breá láidir chomh maith!

9

Seirbhís mhíleata

Ag aois a 18, ní páiste thú níos mó ach *ephebe*. Tá tú réidh don **tsaoránacht**, ach a chruthú ar dtús go bhfuil sí tuillte agat. Go ceann dhá bhliain, beidh do shaol mar *ephebe* lán le rialacha dochta agus beidh ort tamall a chaitheamh ar sheirbhís mhíleata. Níl saol an tsaighdiúra éasca, ach is maith an traenáil a dhéanann tú. Faoi cheann tamaill, is tusa an fear óg is láidre sa scoil.

In áit dul san arm, is mian le d'athair go gcruthóidh tú go maith i gcomórtas lúthchleasaíochta. Bíonn comórtais éagsúla ar siúl ar fud na Sean-Ghréige, ach tá an cháil is mó ar na Cluichí Oilimpeacha. Gach ceithre bliana (tréimhse ar a dtugtar **oilimpiad**) mealltar lúthchleasaithe ó cheann ceann na tíre chuig na Cluichí.

AN IODÁIL

SEIRBHÍS MHÍLEATA. Anois tá tú sásta go ndearna tú go leor lúthchleasaíochta ar scoil. Bíonn ort máirseáil ar thurais fhada. Sleá cheart atá anois agat.

10

Mapa den tSean-Ghréig agus roinnt dá **cathairstát**.

An Mhuir Aeigéach

AN GHRÉIG

Aithin

Oilimpia • **Sparta**

An Mheánmhuir

Nod beag

Tóg scáth gréine leat ar do thuras – bíonn an aimsir an-te agus beidh scáth baistí agat má bhíonn sé fliuch.

An fir atá ionaibh ar chor ar bith?!

Chun DUL SA CHOMÓRTAS, caithfidh tú turas fada a shiúl trasna na Gréige go dtí Oilimpia. Ná bí buartha faoi naimhde ar an mbealach – níl cead ag aon duine cur isteach ort. Bíonn **sos cogaidh** ann i rith na gCluichí Oilimpeacha.

11

Íobairtí do na déithe

Nuair a shroicheann tú Oilimpia, tá fuadar gnóthach faoin áit. Tá lúthchleasaithe ann ó cheann ceann na Gréige – fir amháin. Ní bhíonn mná páirteach sna Cluichí. Cuireann áilleacht na háite ionadh an domhain ort. I measc na gcrann olóige agus cufróige, seasann teampaill arda déanta as marmar. Ní bheidh na Cluichí ar siúl go ceann deich mí eile, agus tá neart ama agat don traenáil. Beidh tú i do chónaí leis na lúthchleasaithe eile an t-am ar fad. Ócáid bheannaithe don dia Séas atá sna Cluichí Oilimpeacha. Téann tú chuig Teampall Shéas go minic le bronntanais, le bheith cinnte go mbeidh na déithe cineálta leat.

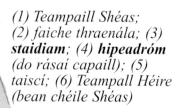

(1) Teampaill Shéas;
(2) faiche thraenála; (3) **staidiam**; (4) **hipeadróm** (do rásaí capaill); (5) taiscí; (6) Teampall Héire (bean chéile Shéas)

Séas

Is é SÉAS rí na ndéithe Gréagacha. Tá caor thine aige a chaitheann sé ar a chuid naimhde. Tógadh Oilimpia mar **shanctóir** in ómós do Shéas. Tá íomhá mhór de, déanta as ór agus eabhar, sa teampall is mó san áit.

Caithfidh tú d'ainm a chlárú don chomórtas Oilimpeach. Déanann na hoifigigh cinnte nach strainséir nó sclábhaí atá ionat agus gur Gréagach ó dhúchas thú. Níl cead ag daoine nach Gréagaigh iad a bheith páirteach sna Cluichí beannaithe.

Cárb as duit ar aon nós?

6

5

3

4

Nod beag

Bí cairdiúil le gach duine. Fan amach ón troid agus seachain an ngortófaí thú.

Braitheann an ÍOBAIRT a ofrálfaidh tú ar an méid airgid atá agat. D'fhéadfadh an duine saibhir scrín bheannaithe a thógáil nó tréad bó a íobairt. Is féidir leatsa caora, poc, nó cearc a ofráil. Bheadh fíon nó cruithneacht go maith freisin.

TÁ AN OBAIR DÉANTA.
Tá saol breá sláintiúil caite agat le deich mí anuas. Tá do chorp i mbarr a chumais agus tá tú ag súil go mór leis na Cluichí.

13

Am Comórtais

Seo chugainn anois an samhradh agus tús na gCluichí faoi dheireadh. Cúig lá atá i gceist. Ar an gcéad lá, glacann tú leis an mionn Oilimpeach *aidos*, sin cothrom na Féinne sa spórt. Tá imní ort nach n-éireoidh go maith leat os comhair an tslua, go háirithe os comhair d'athar. Tá do theaghlach agus do cheantar ag brath ort, go mbuafaidh tú. Tagann daoine ó gach áit sa Ghréig chuig na cluichí. Murar daoine saibhre iad, codlaíonn siad amuigh faoin spéir thar oíche. Bíonn an aimsir go hálainn. Ní chun breathnú ar na comórtais amháin a bhíonn gach duine ann. Bíonn **cearrbhaigh** agus díoltóirí i measc na sluaite, ag súil le hairgead a dhéanamh.

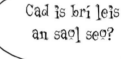

Bí ag súil leo seo:

Gadaí

GADAITHE. Cé gur ócáid bheannaithe atá i gceist, ní bhíonn gach duine macánta. Bíonn rógairí de gach sórt i measc na sluaite móra in Oilimpia.

FILÍ AGUS FEALSÚNA. Is caitheamh aimsire coitianta sa tSean-Ghréig í an fhealsúnacht. Tagann fealsúna chuig na Cluichí le smaointe a phlé agus le filíocht a scríobh.

> Cad is brí leis an saol seo?

Fealsamh

AISTEOIRÍ. Is breá leis na Gréagaigh breathnú ar dhrámaí, ar na tragóidí go háirithe. Caitheann na haisteoirí maisc le cuma áibhéalta orthu chun mothúcháin na gcarachtar a thaispeáint.

DOCHTÚIRÍ. Má ghortaítear thú bíonn dochtúirí ann chun cuidiú leat. Is minic, áfach, nach mbíonn mórán eolais acu ar a ngnó, agus b'fhearr duit brath ar na déithe le teacht slán.

Aisteoirí

Dochtúir

An tsleá

AN PEANTATLAN. Beidh tú ag glacadh páirte i gcomórtas ar a dtugtar an peantatlan. Tá cúig spórt ar leith i gceist ann agus beidh scileanna éagsúla ag teastáil. Is iad seo a leanas na cúig spórt: an tsleá, an léim fhada, an **teasc**, an rith agus an iomrascáil. Tá siad á gcleachtadh agat ó bhí tú i do bhuachaill óg. Anois déanfar thú a thástáil i gceart iontu.

Nod beag

Tar éis an chleachtaidh, léim san abhainn agus nigh tú féin. Beidh an t-uisce fuar ach is fiú é a dhéanamh.

Halteres (meáchain)

An léim fhada

An teasc

An iomrascáil

An rith

An Staidiam

Bíonn thart ar 50,000 duine ag faire ar na Cluichí sa **staidiam**. Tá an rith ar an spórt is sine agus bíonn an-tóir air. Tá tú bodhraithe le glór an tslua ach caithfidh tú smaoineamh ar an rás atá le teacht. Cloiseann tú d'ainm agus d'áit bhreithe á fhógairt os ard. I seomra gléasta, baineann tú do chuid éadaí díot agus cuireann tú ola olóige ar do chorp. Bíonn gach **lúthchleasaí** nocht mar is comhartha é seo dá spiorad glan. Ní gá aon náire a bheith ort – níl cead ag na mná a bheith i láthair!

Hoplitodromos

Tá RÁS EILE ann, nach é do rás féin é, ina mbíonn na reathaithe gléasta le clogaid agus le sciatha. Tugtar *hoplitodromos* ar an rás sin, i ndiaidh shaighdiúirí na Gréige – na 'hoplites'.

AN RITH. Ní mór duit fad amháin den **staidiam** a rith - sin gar do 200 méadar. Ritheann tú cosnocht ar ghaineamh. Tá iomaíocht ghéar ann agus caithfidh tú a bheith cúramach gan bualadh faoi na hiomaitheoirí eile.

An chéad mharatón

I 490 RCh., le linn na gcogaí Peirseacha, bhuaigh na Gréagaigh i gCath Mharatóin. Rith teachtaire 42km ó Mharatón go dtí an Aithin chun scéala an bhua a fhógairt. (Ainmníodh an rás maratóin atá againne inniu i ndiaidh an turais reatha sin, cé nach mbíodh rásaí fada sna Cluichí ar dtús.)

Tús maith, leath na hoibre. Beidh buntáiste agat má chuireann tú do chosa i gceart sna bloic thosaithe.

Tosú lochtach a bhí ansin cinnte!

TOSÚ LOCHTACH. Ná tosaigh ag rith roimh ghlór an trumpa, nó cuirfear as an rás thú. Bíonn rásaí eile ann ina ritheann tú dhá fhad nó sé fhad den raon reatha.

Bloic thosaithe

17

Cleachtadh a dhéanann máistreacht

Tá cuma iontach aclaí ar na lúthchleasaithe agus 10 mí caite acu i mbun traenála. Má tá tú ag iarraidh teacht sa chéad áit, beidh ort do theicníocht a imirt go foirfe. Déan cleachtadh beag agus cuir ola ar do chorp ionas go mbeidh sé lúfar. Bíonn lúthchleasaithe eile ag lúbadh a gcuid matán os comhair an tslua. Ná tabhair aird orthu, ná smaoinigh ar d'athair atá ag breathnú ort ón ardán. Coinnigh d'intinn ar an rás. Seinneann **fliúiteadóirí** ceol don slua. Cuireann an ceol suaimhneas ort.

Sa **teasc**, seasann tú ar thulach bheag chun trí dhiosca throma a chaitheamh chomh fada agus is féidir leat. Éiríonn go hiontach leat leis an tsleá tar éis an chleachtaidh a fuair tú le linn do sheirbhís mhíleata.

Fliúiteadóirí

SÚIL AR AN SPRIOC. Tá dhá scil i gceist leis an tsleá: í a chaitheamh píosa maith i bhfad uait, agus í a chaitheamh go cruinn.

Sa LÉIM FHADA, níl cead rith roimh an léim. Baineann tú an fad amach trí mheáchain (**halteres**) a bhreith i do lámha.

Halteres

TEASC MHARFACH. Is minic a bhíonn comórtais spóirt luaite i seanchas na Gréige. Tá scéal amháin inar maraíodh an rí trí thimpiste nuair a bhí **teasc** á chaitheamh ag a mhac féin. Aimsigh go cúramach!!

Má luascann tú do ghéaga rachaidh tú níos faide ar aghaidh.

18

Nod beag

Bíodh gruaig ghearr ort, nó cuirfidh sí isteach ort nuair a thosóidh tú ag cur allais. Uaireanta, bíonn gruaig na lúthchleasaithe bearrtha go craiceann.

Seo í an lámh is láudre sa Ghréig.

Zúuuum!

Caitheamh na sleá á chleachtadh

COMÓRTAIS DO BHUACHAILLÍ.
Is do dhaoine fásta amháin atá na príomhchomórtais. Tá comórtais eile ann, do bhuachaillí, nach bhfuil chomh deacair céanna.

19

An Iomrascáil

Is í an iomrascáil an spórt deiridh sa pheantatlan. Tá critheagla ortsa faoi – go minic ní bhíonn daoine in ann páirt a ghlacadh sna spóirt eile mar go bhfuil siad gortaithe san iomrascáil. Caithfidh tú do chéile comhraic a leagan chun talaimh agus greim a choinneáil air. Beidh a chorp sleamhain le hola agus beidh an bheirt agaibh clúdaithe le gaineamh ón talamh freisin. Bíonn an comórtas eagraithe ina bhabhtaí. Déantar dhá ghrúpa de na hiomrascálaithe chun beirteanna a chur in aghaidh a chéile. Troidfidh buaiteoir babhta amháin le buaiteoir babhta eile. Bíonn an bua ag an iomrascálaí atá fágtha sa deireadh. Tá seaimpíní iomrascála ann a bhuann an comórtas arís agus arís i rith na mblianta.

RIALACHA. Níl cead buille súl a thabhairt do dhuine, greim a bhaint as duine, nó a leithéid. Faraor, ní féidir leis an réiteoir gach rud a fheiceáil, agus briseann gach duine na rialacha.

DORNÁLAITHE sna Cluichí. Chuirfeadh siad critheagla ort. Caitheann siad miotóga leathair le stodaí miotail orthu chun a gcéile comhraic a ghortú níos measa.

PANCRATIUM. D'fhéadfadh rud ar bith tarlú sa chomórtas seo (ar dheis). Meascán idir an dornálaíocht agus an iomrascáil atá ann. Tá cead buillí dorn a thabhairt dá chéile, fiú agus sibh ar an urlár. Cuirtear iomaitheoirí chun báis uaireanta.

GRÁD MEÁCHAIN. Is cuma má bhíonn na céilí comhraic de mhéid éagsúla. Seans go mbeidh tú in aghaidh duine dhá oiread níos mó ná thú féin!

Nod beag

Bíodh an ghrian ar do chúl agus tú ag troid. Beidh do chéile comhraic dallta agus beidh an buntáiste agatsa.

Ní mór do RÉITEOIRÍ a bheith cúramach nach bhfaighidh siad féin buille agus iad ag faire ar an troid. Má bhriseann duine na rialacha, tugann an réiteoir sonc dó lena bhata mór.

Réiteoir

An ngéilleann tú?

21

Ar mhuin capaill

s breá le daoine na comórtais chapaill a bhíonn ar siúl sa **hipeadróm**, áit a bhfuil raon atá 200m ar fad. Tá pointe casaidh ag tús agus ag deireadh an raoin. Tá rás ann ina mbíonn na marcaigh gan diallait. Níl sé sin róchompordach! Is maith le daoine na rásaí **carbaid** freisin. Cuireann siad glóir an chogaidh i gcuimhne dóibh, agus na laochra ag tiomáint a **gcarbad** chun catha. Bíonn suas le 40 **carbad** in aon rás amháin, agus is spórt an-dainséarach é. Bíonn sé ina dhiabhal ag na pointí casaidh! Is minic a bhuaileann siad faoina chéile i dtimpistí agus d'fhéadfaí drochghortú, nó fiú bás a fháil mar thoradh air.

CARBAD A 'SHOCRÚ'. Seiceáil do **charbad** roimh an rás. Seans gur scaoil iomaitheoir eile bolta uaidh, le go mbeidh timpiste agat sa rás.

COIMEÁD SUAS. I rás amháin, léimeann na marcaigh óna gcapall agus ritheann siad lena dtaobh.

MARCAIGH. Is é úinéir an chapaill a chuireann isteach ar na rásaí capaill go hoifigiúil. Ciallaíonn sin gur féidir leo buachaillí óga (atá níos éadroime ná fir) a úsáid mar mharcaigh.

Coimhlintí

Tá cogadh ar siúl le tamall anuas idir an dá **chathairstát**, **Sparta** agus an Aithin. Le linn Chogadh na Peirse, áfach, bhíodh siad ag troid taobh le taobh chun an Ghréig a chosaint. Tá siad an-difriúil óna chéile. Tá an Aithin an-tógtha leis an gcultúr agus leis an bhfoghlaim ach is stát míleata é **Sparta**. Tá gach **saoránach** ina shaighdiúir ann, agus tá an chuid is mó de na daoine ina sclábhaithe. Tá droch-cháil ar mhuintir **Sparta**. Le linn na gCluichí, níor chóir go mbeadh aon choimhlint ann, ach ní mar sin a bhíonn. Níl cead airm a thabhairt isteach sna Cluichí. Agus na comórtais ar siúl, tarlaíonn raic agus troid go minic idir na dreamanna éagsúla.

> Mná Sparta – tá siad chomh gruagach céanna leis na fir!

CUARDACH. Bíonn airm á lorg i measc an lucht féachana agus na lúthchleasaithe araon. Ní maith leis na déithe foréigean a bheith in áit bheannaithe.

PÁISTÍ SPARTACHA. Níl ina laethanta óige ach ullmhú don tseirbhís mhíleata agus don saol crua amach rompu.

An Bhean Spartach

Mo mhallacht ort, a !!*!*! lofa!

Nod beag
Ith go leor feola – beidh tú níos láidre sna Cluichí dá bharr.

ARM BUAN I SPARTA. Murab ionann agus san Aithin, ní mór do gach **saoránach** a bheith ina shaighdiúir (thíos), ar feadh a shaoil.

TUISMITHEOIRÍ SPARTACHA. Ní thugann siad aire do leanbh atá lag, nó atá faoi mhíchumas. Fágtar an leanbh san fhásach chun bás a fháil.

AN BHEAN SPARTACH (thuas). Ní hiad na fir amháin a bhfuil droch-cháil orthu. Déanann na hAithnigh ceap magaidh de mhuintir **Sparta**, ag rá nach féidir difríocht a fheiceáil idir na fir agus na mná.

23

Lean na rialacha

An bhreab

Bíonn na réiteoirí ag faire go géar oraibh le déanamh cinnte nach bhfuil caimiléireacht ar siúl. Níl cead cor coise a chur faoi reathaí, nó iomaitheoir eile a chur amú, mar shampla. Má dhéanann tú amhlaidh, cuirfear as an gcomórtas thú agus seans go ngearrfar fíneáil ort. Ó tharla nach bhfuil pingin rua agat, beidh ar do mhuintir íoc asat. Is é an feall is measa ná breab a thabhairt do réiteoir nó d'iomaitheoir. Tá sé sin glan in aghaidh spiorad na gCluichí. Is feall é freisin do chéile comhraic a mharú i mbabhta iomrascála nó dornálaíochta, bíodh sé d'aon ghnó nó trí thimpiste.

AN CRÚIBÍN CAM. Tá na Gréagaigh lán dáiríre faoi na Cluichí. Is é an rud is measa a d'fhéadfá a dhéanamh ná breab a thabhairt don réiteoir ar mhaithe leat féin.

LASCADH. Chomh maith le **dícháiliú** agus fíneáil a ghearradh ort, faigheann tú lascadh le bata má bhriseann tú na rialacha.

AN FOCAL DEIRIDH
Tá na réiteoirí i gceannas ar na Cluichí. Caithfidh tú glacadh leis an rud a deir siad.

ÍOCAÍOCHT DO NA DÉITHE. Má bhriseann tú na rialacha, seans go ngearrfar fíneáil ort. Tógadh scrínte beannaithe ar fud Oilimpia le hairgead ó fhíneálacha.

Scrín do Shéas

Réiteoir

Cá bhfuil tusa ag dul leis sin?

Ar éirigh leat?

Tar éis do chuid obair chrua ar fad, is tusa buaiteoir an pheantatlain. Bíonn duaiseanna na mbuaiteoirí sách beag. Cé nach bhfuil sé ceadaithe, cuireann daoine geallta ar na comórtais chun airgead a dhéanamh. Bíonn na hiomaitheoirí breá sásta go bhfuil clú agus cáil orthu mar bhuaiteoirí. Níl ach díomá nó náire i ndán don dream a chailleann. Maraítear cuid acu sa chomórtas fiú. Nuair a fhágann daoine Oilimpia, cuirfear cuid mhaith ag troid sa chogadh. Seans go mbeidh ortsa dul ag troid in aghaidh mhuintir **Sparta**. Má thagann tú slán, an nglacfaidh tú páirt sna Cluichí arís i gceann ceithre bliana eile?

Comhghairdeas! Is tusa an buaiteoir.

Fleasc labhrais

Ola olóige

DUAISEANNA. Ní bhronntar boinn óir ná suim mhór airgid ar bhuaiteoirí Oilimpeacha. Cuirtear **fleasc labhrais** ar do chloigeann, nó tugtar próca deas duit lán le hola olóige. Tá bród i do chroí as an éacht atá bainte amach agat.

Dealbh de bhuaiteoir Oilimpeach

File

Bíodh mac agat. Seasfaidh seisean ar do shon go luath.

CLÚ GAN SAIBHREAS. Tá bua na healaíne ag na Gréagaigh. Má bhíonn an t-ádh ort, déanfaidh ealaíontóir cáiliúil dealbh i d'íomhá, nó beidh dán breá cumtha fút ag file éigin.

AG TEACHT ABHAILE. Is duine mór le rá thú nuair a fhilleann tú ar an Aithin. Tagann na sluaite chun do theacht abhaile a cheiliúradh. Beidh tú i mbun do ghnáthshaoil go luath – ar ais ar an bhfeirm.

Foclóirín

An tAcrapolas Cnoc cáiliúil san Aithin ina seasann tithe oifigiúla agus teampaill bhreátha, an **Partanón** ina measc.

Aidos an Mionn Oilimpeach. Geallann lúthchleasaithe go mbeidh meas acu ar a chéile agus go dtabharfaidh siad cothrom na Féinne sa spórt le linn na gCluichí.

Carbad carráiste dhá roth agus capall á tharraingt. D'úsáidtí sa Ghréig é chun catha agus rása.

Cathairstát Ceantar beag atá in ann gníomhú go neamhspleách dó féin.

Cearrbhaigh Daoine a chuireann airgead ar gheallta.

Daonlathas Ciallaíonn an daonlathas 'rialú ag an bpobal'. Is sochaí é ina mbíonn na **saoránaigh** i mbun na tíre agus is féidir leo tionchar a imirt ar an rialtas trína gcearta vótála.

Dícháiliú Duine a tharraingt siar ó chomórtas mar gheall ar riail a bhris siad.

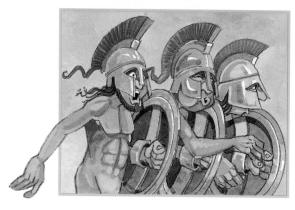

Ephebe Ainm a thugtaí ar fhear óg idir aois a 18-20 sa tSean-Ghréig, agus é ag déanamh a sheirbhís mhíleata.

Fleasc labhrais Fáinne déanta de dhuilleoga labhrais a bhronntaí do bhuaiteoirí i gCluichí Oilimpeacha na Sean-Ghréige.

Fliúiteadóir Duine a sheinneann an fhliúit.

Halteres Meáchain a bheireann an léimneoir fada ina lámha. Cuidíonn siad le léim níos faide ar aghaidh.

Hipeadróm An áit ina mbíodh na rásaí capaill i gCluichí Oilimpeacha na Sean-Ghréige.

Lúthchleasaí duine a ghlacann páirt i gcomórtais aclaíochta.

Oilimpiad An tréimhse ama gach ceithre bliana nuair a bhíonn na Cluichí Oilimpeacha ar siúl.

Palaestra Faiche le haghaidh spórt a chleachtadh.

Pancratium Spórt dainséarach ina mbíodh meascán idir an dornálaíocht agus an iomrascáil ann. Ní raibh mórán rialacha ag baint leis agus bhíodh daoine gortaithe go dona ann.

An Partanón Teampall don bhandia Aitéiné atá suite san **Acrapolas**.

An Pheirs Impireacht ollmhór a bhí sa réigiún soir ón nGréig thart ar 550 – 350 RCh. Tá an Iaráin san áit chéanna inniu.

Sanctóir Áit nó ionad naofa ag na Sean-Ghréagaigh chun glór agus onóir a thabhairt do dhia nó do bhandia.

Saoránach Duine fásta a bhíonn páirteach sa saol pobail. Bíonn cead vótála aige. Ní raibh cead ag mná, sclábhaithe, nó eachtrannaigh, a bheith ina saoránaigh sa tSean-Ghréig.

Sparta An dara cathairstát tábhachtach sa Ghréig sa 5ú haois RCh. Chuir na Spartaigh béim mhór ar an saol míleata thar aon ní eile.

Staidiam Áit ina mbíonn raon reatha.

Stíleas Maide beag biorach le haghaidh litreacha a scríobh ar tháibléad céarach.

Sos Cogaidh Socrú idir dhaoine leis an troid a stopadh ar feadh tamaill. Cuirtear cogadh ar ceal.

Táibléad Céarach Clár beag adhmaid clúdaithe le brat de chéir. Scríobhtar air le stíleas, agus déantar botún a scriosadh trí na méara a chuimilt ar an gcéir.

Teasc Diosca a chaitheann **lúthchleasaí** i gcomórtas na teisce.

31

Innéacs